À la famille et aux amis des jeunes lecteurs :

L'apprentissage de la lecture est une étape cruciale dans la vie de votre enfant. Apprendre à lire est difficile, mais la série *Je peux lire!* est conçue pour rendre cette étape plus facile.

Tout comme l'apprentissage d'un sport ou d'un instrument de musique, la lecture requiert d'exercer souvent ses capacités. Mais pour soutenir l'intérêt et la motivation de l'enfant, il faut le faire participer au sport ou lui faire découvrir l'expérience de la « vraie » musique. La série *Je peux lire!* est conçue de manière à fournir le niveau de lecture approprié et propose des histoires intéressantes qui rendent la lecture stimulante.

Quelques conseils :

- La lecture commence avec l'alphabet et, au tout début, vous devriez aider votre enfant à reconnaître les sons des lettres dans les mots et les sons que font les mots. Avec les lecteurs plus expérimentés, mettez l'accent sur la manière dont les mots sont épelés. Faites-en un jeu!
- Ne vous arrêtez pas au livre. Parlez avec l'enfant de l'histoire, comparez-la à d'autres histoires et demandez-lui pourquoi elle lui a plu.
- Vérifiez si votre enfant a bien compris l'histoire. Demandez-lui de la raconter ou posez-lui des questions sur l'histoire.

C'est aussi l'âge où l'enfant apprend à monter à bicyclette. Au début, pour faciliter les choses, vous posez des roues stabilisatrices et vous tenez la selle pour le guider. De même, la série *Je peux lire!* peut être utilisée comme outil pour vous aider à guider votre enfant et à en faire un lecteur compétent.

Francie Alexander,
spécialiste en lecture
Groupe des publications
éducatives de Scholastic

B.J. James
Illustrations de Chris Demarest
Texte français de Marie-Josée Brière

Pour Devin — B.J.J.

Pour Trish — C.D.

Catalogage avant publication de Bibliothèque et Archives Canada

James, Brian, 1976-
Les super jumeaux et les caniches volants / B.J. James; illustrations de Chris Demarest;
texte français de Marie-Josée Brière.

(Je peux lire! Niveau 2)
Traduction de : The Supertwins Meet the Bad Dogs from Space.
Pour enfants de 5 à 7 ans.
ISBN 0-439-96239-0

I. Demarest, Chris L. II. Brière, Marie-Josée III. Titre. IV. Collection.

PZ23.J35Su 2004 j813'.6 C2004-902765-4

Édition publiée par les Éditions Scholastic, 175 Hillmount Road, Markham (Ontario) L6C 1Z7.

5 4 3 2 1 Imprimé au Canada 04 05 06 07

Et voici ma sœur.

Nous sommes...

LES SUPER JUMEAUX

Je peux lire! — Niveau 2

Chapitre 1

Je m’en vais à l’école
avec Thalie.

Soudain, je lève les yeux.
Il y a trois gros caniches
dans le ciel!

— Oh! oh! C’est mauvais signe!

— Non, pas du tout, dit Thalie.

— Tu n’as même pas regardé!

C’est difficile d’être
un super jumeau –
même plus difficile que
de faire ses devoirs!

Je m'écrie :
— Oh, non! Ils pourraient faire mal à quelqu'un!
— Tu veux seulement que je lève les yeux, dit Thalie.

Je secoue la tête. C'est plus difficile de discuter avec sa sœur que de se battre contre les méchants.

Elle essaie de ne pas regarder. Mais je vois bien qu'elle jette un coup d'œil.

— Aaaaah! crie Thalie. Des caniches volants! Il faut faire quelque chose, Théo!

CLAP!

Il est temps de renvoyer ces chiens dans l'espace!

Thalie et moi sortons nos capes.
Puis nous nous envolons!
Allons-y!
SWOUSH

Personne ne nous a vus.
Les super héros doivent garder le secret.
C’est la règle.

Les chiens volants nous
lancent des os au laser!
— Arrêtez! crie Thalie.

— Qu’est-ce que vous faites? demande Thalie.

— Nous allons envahir votre monde, aboient les vilains chiens.

— OUACHE!
Quelle mauvaise haleine!

Thalie et moi volons super vite.
?!
!?
?
J'attrape un des chiens.
Thalie en prend deux.
Nous les faisons
tournoyer. Ils sont
tout étourdis.

ET PUIS...

PAF!

Les vilains chiens disparaissent dans l'espace.

— Nous avons gagné!
Mais la cloche sonne.
Oh! oh! Nous sommes
en retard pour l'école!

Chapitre 2

À l'école, il me vient une idée. Les caniches volants vont sûrement revenir. C'est ce que font les méchants. Ils reviennent toujours.

Je parle de mon idée à Thalie.
— Sais-tu qui les a envoyés? demande Thalie.
— C'est le méchant M. Jappard, dis-je.

— Taisez-vous, tous les deux, dit Mme Suzanne.

Mme Suzanne, c'est notre enseignante. C'est la plus gentille enseignante de première année. Mais pas quand nous parlons de nos affaires de super héros au lieu de faire le travail de maths.

Thalie et moi, nous nous taisons.

PENDANT CE TEMPS...
très loin d'ici, le méchant
M. Jappard a un plan.
Il l'explique aux autres caniches.
Mais je peux l'entendre grâce à mes super oreilles.
Qu'est-ce qu'il dit?
Wouf!

— Nous allons retourner là-bas, dit le méchant M. Jappard. C'est ce que font les méchants. Ils retournent toujours.

DE RETOUR À L'ÉCOLE...
Thalie demande à Mme Suzanne si nous pouvons sortir.
— Nous devons sauver le monde, dis-je.
— Ça peut attendre la récréation, dit Mme Suzanne.

La récréation arrive enfin. Le ciel est rempli de vaisseaux spatiaux. Thalie sait ce qu'il faut faire.

Thalie me chuchote son plan.
C'est un bon plan.

Thalie s'envole. Des arcs-en-ciel sortent de ses mains. Les chiens ne voient plus rien.

Moi, je fais tournoyer leurs vaisseaux.

Ils tournent de plus en plus vite! C'est très amusant! Mais pas pour les chiens!

Le méchant M. Jappard n'est pas content. Il ordonne à tous les chiens de s'enfuir. Et c'est ce qu'ils font.

Nous retournons vite à la cour d'école!
Les autres enfants sont déjà rentrés.
— Oh, non! dit Thalie.
La récréation est finie.
Il faut nous dépêcher!

Je dis à Thalie de ranger sa cape.
Elle oublie toujours!

Chapitre 3

Après l'école, Thalie et moi courons jusqu'à la maison. Thalie arrive la première… comme toujours!

Maman est à la cuisine.
— Bonjour, les enfants. Qu'avez-vous fait à l'école, aujourd'hui? demande-t-elle.

Notre maman est super cool!

— Théo et moi avons sauvé le monde, dit Thalie.

Thalie le dit toujours à maman quand nous sauvons le monde, même si c'est censé être un secret.

— Nous avons volé très, très haut. Et j'ai fait sortir des arcs-en-ciel de mes mains, comme ça. Et…

— Bravo! dit maman. Avez-vous des devoirs?
— Oui.
— Alors, vous pourrez retourner jouer quand vous les aurez finis, dit maman.
— Oui, maman.

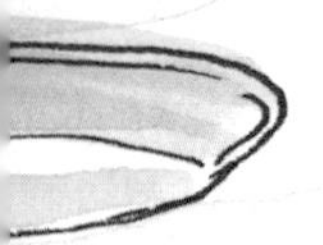

Même les super héros doivent
écouter leur mère!

Jouons avec les mots!

Les mots de chaque colonne se terminent par le même son.
Lis une colonne à la fois.
Relis ensuite tous les mots de la colonne.
Relis-les encore, un peu plus vite.
Essaie de lire les 15 mots en une minute.

vilain	**monde**	**cuisine**
pain	**gronde**	**racine**
bain	**sonde**	**voisine**
main	**ronde**	**vitamine**
train	**blonde**	**tartine**

Trouve les mots suivants dans le texte.

toujours **monde** **secret**

plan **récréation**

Note aux parents

Les activités de la présente page enseigneront à l'enfant à reconnaître les mots et à lire plus vite. La première l'aidera à reconnaître rapidement les syllabes identiques et les mots qui se ressemblent. L'enfant aura beaucoup de plaisir à faire cet exercice. La deuxième activité aidera l'enfant à reconnaître des mots qu'il a déjà lus, sans hésiter et sans se tromper. Faites ces exercices avec l'enfant pour lui apprendre à lire avec aisance.

— **Wiley Blevins**,
spécialiste de la lecture